3歳から親子でできる！

おうち実験 ＆あそび

いわママ

ワニブックス

はじめに

こんにちは！
科学実験の世界へようこそ。

「科学実験」というと、なんだかむずかしそうに
感じてしまいますよね。
でもじつは、私たちのまわりは、
いろいろな科学であふれています。

たとえば……
みなさんはラムネやコーラなどの炭酸飲料を
飲んだことはありますか？
お風呂に入れると、
泡を出しながら溶けていく入浴剤を
使ったことはありますか？

炭酸飲料と入浴剤はまったくちがうものですが、
あのシュワシュワした泡は、
同じ原理でつくられています。

いまこのお話を聞いたときに、
「え、なんで?」と思ったらそれが科学者への第一歩。

ぜひ、ページをめくって「おもしろそうだな」と
感じた実験に挑戦してみてください。

はじめは失敗してしまうこともあるかもしれません。
でも、それで大丈夫。失敗も学びになるのが、
実験のいいところ。
どうやったら成功するのか、いろいろな方法を考えて、
またやってみることが、さらなる学びにつながります。

なによりも大事なのは、楽しむことです。

この本では、小さな子でも楽しめる科学実験を
30種類紹介しています。
いっしょに楽しく、あそびながら
科学を学んでいきましょう。

いわママ

もくじ

第1章

ぜったいやりたい！
大人気の実験ベスト5

第2章

動きと変化が
おもしろい実験

第 **3** 章
手品みたい!?
ふしぎな実験

第4章
さわってあそべる
実験とあそび

第 **5** 章
だい　　　しょう

1〜2歳から楽しめる
さい　　　　たの

実験とあそび
じっ けん

おうち実験で使う
基本の道具

おうちで実験を楽しむための基本的な道具をご紹介します。
あらかじめ準備しておくと、
工作や実験をスムーズに行うことができます。

はかる

計量カップ
目盛りつきのカップのこと。液体の量をはかりたいときに使います。

計量スプーン（大さじ／小さじ）
重曹やクエン酸など、分量をきちんとはかって入れたいときに使います。

切る・穴をあける

はさみ／カッター
紙を切ったり、形をととのえたりするときに使います。どちらもあると便利です。

きり
穴をあけたいときに使います。ない場合は、ボールペンなどでもOK。

貼る

ビニールテープ
しっかりと貼りたいときに使用。カラフルな色を選ぶと作品がかわいくなります。

ガムテープ
この本では布テープタイプを使用。くっつけて、丈夫にしあげたいときに。

両面テープ
2つのものを貼りあわせたいときは、両面テープがあるときれいにしあがります。

セロハンテープ
材料を貼りあわせたいときは、透明のセロハンテープがいちばん手軽です。

色をつける・描く

水性ペン
水にインクが溶けるタイプのペン。いろいろな色を用意して楽しい作品をつくって。

油性ペン
水がついてもにじまないタイプのペンです。黒1色だけあればじゅうぶんです。

絵の具
絵を描くときはもちろん、溶かして液体に色をつけるときにも使います。

食紅（赤・黄・緑・青）
水に色をつけるときは、おもに食紅を使っています。液体タイプなら水に溶けやすくて便利。

※パウダータイプやジェルタイプの食紅を使う場合は、あらかじめ少量の水で溶いておいてください。

これも用意しておこう！

紙コップ／プラカップ
液体を入れたり、工作の材料として使います。色やサイズちがいでいくつかあると便利。

スポイト
液体をほんの少しだけ混ぜたいときに使います。ない場合はストローで代用できます。

タオル
実験や工作の際に、手をふいたり、こぼれた液体をふき取ったりするのに役立ちます。

ホッチキス
テープでは留めにくい紙やストローなどの材料を固定したいときに使います。

実験をするときの注意

⚠️ 子どもだけで実験しないでください。とくにはさみやカッターなどの刃物や、薬品を使う実験をする場合は、必ず保護者といっしょに実験するようにしましょう。

⚠️ 薬品を口に入れたり、薬品にふれた手で目をさわったりしないでください。万が一、口や目に入ってしまったり、手についてしまったりした場合はすぐに水で洗い流してください。

⚠️ 食品を扱う実験は、衛生面にじゅうぶん注意してください。

⚠️ 室内の温度や湿度、使う材料によっては、本書に書かれたとおりに実験を行ってもうまくいかないことがあります。その場合は、どうやったら成功するのかいろいろな仮説を立てて、くり返し挑戦してみてください。

第1章

ぜったいやりたい！
大人気の
実験ベスト5

かんたんなのにびっくりするほど楽しい、
人気の実験を集めてみました。
家にあるものだけでできるから、
すぐに挑戦できます！

神秘的すぎる！接着剤

木工用接着剤に食紅をたらし、
洗剤をぽとり……。食紅が接着剤の中を
生き物みたいに進んでいって
まるで雪の結晶のような美しいもようを描くよ。

の結晶
けっ しょう

◆ 木工用接着剤
◆ 紙コップ…5個
◆ スポイト
◆ 食紅（青・黄・緑）
◆ はさみ
◆ 中性洗剤

● 汚れてもいい服で実験してください。
● まわりが汚れないように、新聞紙やビニールシートを敷きましょう。
● 実験がおわったあとは、お住まいの自治体のルールにしたがって処分してください。
● はさみで手を切らないように注意してください。

やり方

1

紙コップをはさみでそれぞれ高さ3cmくらいに切る。

2

木工用接着剤を全体に広がるように入れる。

3

❷の上に食紅を1滴たらす。

4

スポイトに中性洗剤を取り、❸の食紅の上に1滴たらすと……。

中性洗剤と食紅を1滴たらしただけなので、実験後の接着剤はそのまま使って大丈夫。ほかの工作などに再利用しましょう！

なぜ？

界面活性剤の力によって食紅がゆっくりと移動する

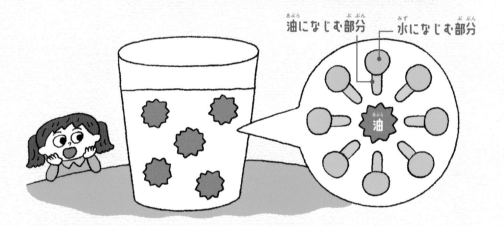

油になじむ部分　水になじむ部分

油

　水の中に油が、もしくは油の中に水が分散した状態を「エマルジョン」といいます。水と油は混ざりにくい性質を持っていますが、水とも油ともなじみやすい性質を持つ「界面活性剤」が入っていると、混ざりあうことができます。牛乳やマヨネーズ、木工用接着剤、シャンプーなどは、身近なエマルジョンの例です。

　木工用接着剤の上に食紅をたらし、そこに食器用洗剤を加えると、食器用洗剤にふくまれる界面活性剤が油を取り囲むことで、食紅が動きだします。木工用接着剤は粘度が高いため、動く速度が遅くなります。その結果、枝状にわかれながらゆっくり動いていったのです。

　牛乳で同じ実験をすると、いったいどうなるでしょうか。牛乳は木工用接着剤のようにとろっとしていません。つまり、粘度が低いため、食紅はすばやく広がります。そのようすを見てみるのも、おもしろいかもしれません。

おうちで大噴火

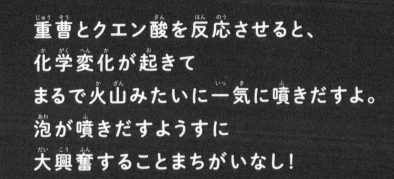

重曹とクエン酸を反応させると、
化学変化が起きて
まるで火山みたいに一気に噴きだすよ。
泡が噴きだすようすに
大興奮することまちがいなし！

◆ ガムテープ
◆ 重曹…大さじ2
◆ クエン酸…大さじ1
◆ 食紅もしくは絵の具（赤）
◆ 中性洗剤

◆ ペットボトル（350㎖）
◆ 水…300㎖
◆ 紙皿
◆ 新聞紙

注意

● 重曹やクエン酸、つくった液体などが目や口の中に入らないように注意してください。
● 汚れてもいい服で実験してください。
● まわりが汚れますので、新聞紙やビニールシートを敷きましょう。
● 液体が飛びちりますので、汚れにはじゅうぶん注意してください。

やり方

1

紙皿の上にペットボトルを置き、そのまわりを丸めた新聞紙で囲む。

2

新聞紙をおおうようにガムテープを巻き、火山の形になるようにととのえる。

3

火山の口の部分から重曹と水200㎖を入れる。

4

口の部分を持って、底に軽く手をそえ、よく振り混ぜる。

⑤ 赤の食紅を数滴加える。絵の具を使う場合は、少量の水で溶かしてから加える。

⑥ 中性洗剤を1押し分加える。

⑦ 別の容器に水100㎖とクエン酸を入れて混ぜる。

⑧ ⑦を火山に注ぐと……。

なぜ？ 重曹とクエン酸の反応を洗剤でパワーアップ！

　重曹はアルカリ性の物質ですが、ここにクエン酸などの酸性の物質を加えると化学反応が起きて、炭酸ガスが発生します（くわしくは 72 ページで解説）。今回はここに、さらに中性洗剤を加えています。中性洗剤とは、手や食器を洗うときに使う洗剤で、シャボン玉液の材料にも使われています。シャボン玉であそぶときに液に息を吹きかけると、ぶくぶくと泡立ちますよね。それと同じように、炭酸ガスの力で中性洗剤の泡が増え、一気にペットボトルから吹きだしました。赤く色をつけていたので、まるで火山の噴火のように見えたのです。

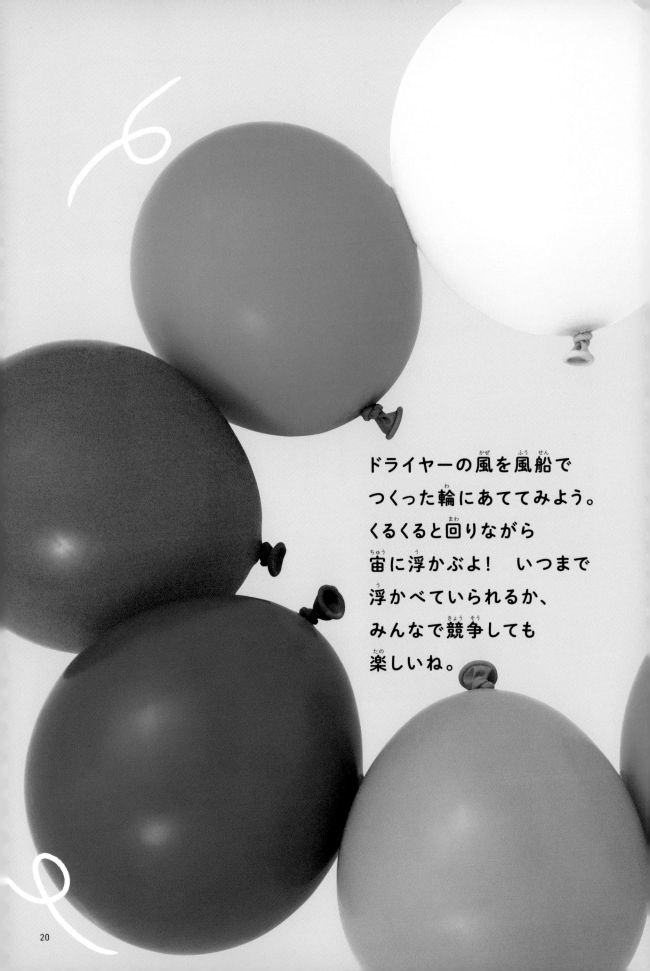

ドライヤーの風を風船で
つくった輪にあててみよう。
くるくると回りながら
宙に浮かぶよ！　いつまで
浮かべていられるか、
みんなで競争しても
楽しいね。

宙に浮くふしぎな風船

用意するもの

◆ 空気入れ
◆ 風船…8個

◆ 両面テープ
◆ ドライヤー

注意

● ドライヤーは必ず冷風を使ってください。温風をあてると風船が割れてしまう可能性があります。

● ドライヤーでやけどをしないように気をつけてください。

やり方

1 風船をふくらませる。このとき、できるだけ8個すべてが同じ大きさになるようにする。

2 風船に両面テープを貼り、もう1つの風船とくっつける。

3 同じようにして、輪になるように風船どうしを貼りあわせていく。

Point 風は風船の端に向けて、ななめ下からあてよう。

4 輪になった風船を持ち、ドライヤーの冷風をななめ下からあてると……。

風船の種類で ちがいはある？

水風船を使うとどうなるでしょう？
風船と浮かび方にちがいがでるか、くらべてみましょう。

なぜ？

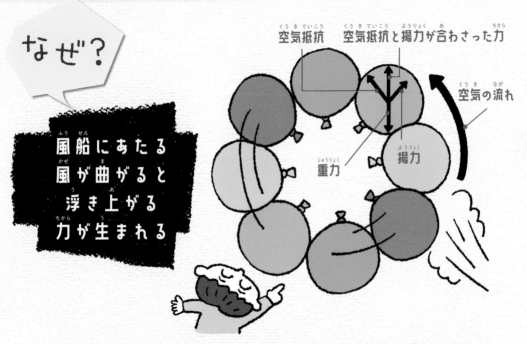

空気抵抗　　空気抵抗と揚力が合わさった力

空気の流れ

重力

揚力

風船にあたる風が曲がると浮き上がる力が生まれる

　ドライヤーで風船に向かってななめ下から空気を送ると、空気の流れが風船に沿って曲がります。これを「コアンダ効果」と呼びます。このコアンダ効果によって、空気の流れに対して垂直方向の力（揚力）がはたらきます。このとき空気抵抗も同時にはたらきます。

　この「揚力」と「空気抵抗」があわさった力（上向きの力）と重力（下向きの力）が釣りあうと、風船はバランスを保ち、浮きつづけるのです。

　今回は風船をつなげているので、つながった風船全体がくるくる回転しながら、浮きつづけました。風船がその場で浮きつづけずに飛んでいってしまう場合は、ドライヤーの風があたる角度を変える、風船の数を増やしてみる、風量を弱くするなど、調整してみましょう。逆に、風船が浮かずにその場に落ちてしまう場合は、ドライヤーの風があたる角度を変えてみる、風船の数を減らしてみる、風量を強くするなど、調整してみましょう。

声が変わる!?
おもしろマイク

音を聞いてみよう!

コップにアルミホイルを
かぶせたマイクでおしゃべり。
なんだか、変な声になっちゃった！
宇宙人みたいなビリビリ声で
いろんな人に話しかけてみよう。

◆ 紙コップ…2個
◆ アルミホイル

◆ はさみ
◆ 水性ペン（黄）

注意

● はさみで手を切らないように注意してください。
● アルミホイルの箱についている刃やアルミホイルの端で手を切らないように注意してください。

やり方

1

2個の紙コップの底をはさみでそれぞれくり抜く。

2

片方の紙コップの口をアルミホイルでおおう。

3

もう片方の紙コップには、ペンでイラストを描く。

4

❸の紙コップの中に、❷の紙コップを重ねる。

5

穴をあけた紙コップの底部分に口をあて
て、声をだすと……。

なぜ？

空気のふるえが増えると宇宙人みたいなビリビリ声に！

　わたしたちの身の回りには「音」があふれています。話し声や雨の音、テレビから聞こえる音など。こうした音をわたしたちの耳まで届けてくれるのが、空気です。「音」は空気のふるえ（振動）が耳から脳につたわって感じられるものです。音は空気のふるえ（振動）だけでなく、水や固体などほかのものを振動させてつたわることもあります。

　わたしたちの声は、喉にある声帯をとおるときの空気の振動をつたえたものです。「あ〜」と声を出しながら喉をさわると喉が小さく震えているのがわかりますよね。この震えが声のもとです。おもしろマイクを使うと、声が紙コップに張られたアルミホイルにあたり、アルミホイルが振動します。その結果、空気のふるえが変化し、普段の声とはことなるビリビリした音になったのです。

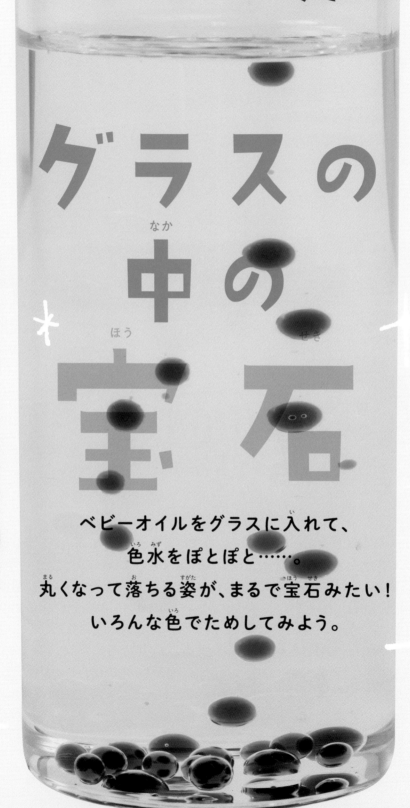

キラキラ光る

グラスの中の宝石

ベビーオイルをグラスに入れて、
色水をぽとぽと……。
丸くなって落ちる姿が、まるで宝石みたい！
いろんな色でためしてみよう。

◆ 食紅もしくは絵の具（青）　◆ 透明なグラス
◆ スポイト　◆ ベビーオイル
◆ 水

注意

● 汚れてもいい服で実験してください。

● まわりが汚れないように、新聞紙やビニールシートを敷きましょう。

● 実験がおわったあとは、お住まいの自治体のルールにしたがって処分してください。

やり方

ベビーオイルをグラスに注ぐ。

水に食紅もしくは絵の具を入れて混ぜ、青い色水をつくる。

❷をスポイトに取る。

❶に色水をたらすと……。

使いおわったベビーオイルは、小さいヨーグルト飲料の容器にビーズやラメといっしょに入れてみましょう。オリジナルのセンサリーボトルがつくれます。ゆらめくキラキラを見つめているだけで、ふしぎと心が落ちつきます。

やってみよう

シェービングクリームで雲と雨みたいに演出しよう

コップの上にシェービングクリームを出してみましょう。その上から色水をたらすと、まるで雲から雨がふっているような演出になります。

なぜ？

水がオイルよりも重いためまるくなりながら沈んでいく

　ドレッシングのボトルの上に、透明な液体がたまっているのを見たことがありますか？　あの液体が油です。ボトルを振ると混ざったように見えますが、実際は油は水と混ざらず、油は水より軽いため、上のほうにたまってしまうのです。

　この実験のように、油の中に色水をたらすと、水は油よりも重いため、まるい形をつくりながら下に沈んでいきます。今回は透明なベビーオイルを使いましたが、サラダ油やオリーブオイルでも同じようにできます。オイルの色を変えると、また雰囲気がちがいますよ。

P28の写真のように、2色の色水を使ってみてもきれいですよ

第2章

動きと変化が
おもしろい
実験

水の流れや物体の動きなど、
身近な現象をつうじて、
科学のおもしろさを体験できる実験を
集めてみました！

ブルブル踊る紙コップ人形

コップをぐるぐると回してテーブルに置いたら
コトコトとふしぎな動きで踊りだしたよ。
なぜ、こんな動きをするのか考えてみよう。

動画で見てみよう！

◆ 水性ペンなど
◆ きり
◆ はさみ
◆ 紙コップ…2個
◆ セロハンテープ

◆ ビー玉…1個
◆ ビニールテープ
◆ 輪ゴム…2本
◆ つまようじ…2本

 注意 ● はさみやきりで手を切らないように注意してください。

やり方

1

紙コップにペンで好きな絵を描く。

2

2個の紙コップの底に、きりで穴をあける。

3

❷に輪ゴムをとおす。

4

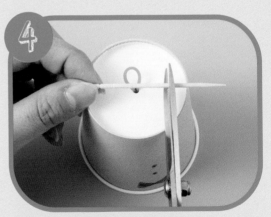

2本のつまようじをはさみで紙コップの底の直径より短く切る。

❸の輪ゴムにそれぞれつまようじをとおし、紙コップの中から輪ゴムを引いたら動かないようにセロハンテープでとめる。

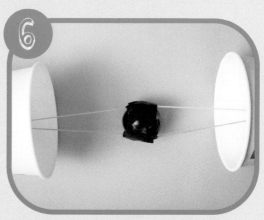

2個の紙コップの輪ゴムの端に、ビニールテープでビー玉をとめる。

紙コップをあわせ、まわりをビニールテープでとめる。

紙コップの端を持ち、大きく30回ほど回して置くと……。

なぜ？

ビー玉の重みで回転軸がずれ人形がおもしろい動きに！

　紙コップを振ると、2本の輪ゴムにテープでとめたビー玉が動き、輪ゴムがねじれます。テーブルに置くと、ねじれた輪ゴムが元に戻ろうとします。そのときに、ビー玉の重みで回転の中心がずれ、その振動で紙コップ人形が踊りだします。

　紙コップ人形をもっと大きく動かしたいときは、大きなビー玉をつけてみましょう。ただし、動きが激しくなるぶん、すぐに倒れてしまうかもしれません。紙コップの大きさや厚み、輪ゴムの長さや強さなども、動きに影響をあたえます。どんな紙コップ、ビー玉、輪ゴムを選ぶと動きがよくなるのか、ためしてみましょう。

勝手に移動する

ふしぎな レイ

赤、青、黄色の3色の色水が、
キッチンペーパーをつたってとなりの
コップに少しずつ移動するようすを見てみよう。
空のコップの中で、色が混ざりあっていくよ。

◆ はさみ
◆ 水
◆ 食紅（青・黄・赤）

◆ プラカップ（小）…6個
◆ キッチンペーパー

注意

● 汚れてもいい服で実験してください。
● まわりが汚れないように、新聞紙やビニールシートを敷きましょう。
● はさみで手を切らないように注意してください。

やり方

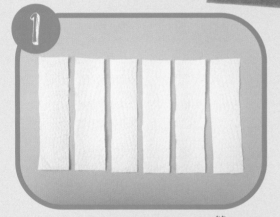

キッチンペーパーを3cm×10cmの大きさに6枚切る。

3個のプラカップに水を入れる。

❷のプラカップに食紅を混ぜて3色の色水をつくる。

色水を入れたカップと空のカップを交互に丸く並べる。

❶のキッチンペーパー6枚の両端を、それぞれ色水ととなりの空のカップに入れて少し時間をおくと……。

なぜ？

毛細管現象によって空のコップに色水が移動した！

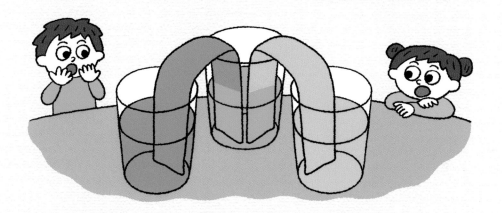

　空のカップに色水が移動したのは、キッチンペーパーの繊維のすき間をとおって、となりのカップの色水が移動したためです。カップには青、黄、赤の色水が入っていました。青と黄のあいだにある空のカップには、両隣の色水が移動して混ざり、緑の色水になりました。同じように、黄と赤のあいだはオレンジ色、赤と青のあいだは紫になることでレインボーの水ができあがったのです。

　キッチンペーパーの繊維には細かいすき間がたくさんあります。この繊維のすき間が管のように働いて、水が重力に逆らって登っていく現象を「毛細管現象」と呼びます。植物には心臓や筋肉がないのに、土から水を吸い上げ、葉っぱのすみずみまでいきわたらせることができるのは、この毛細管現象のおかげです。

ペットボトルの

ペットボトルの中の

つなげた2つのペットボトルの中に水を入れて
ぐるぐると回すと竜巻ができちゃう！
竜巻や台風のしくみを
間近で観察できる実験だよ。

竜巻

◆ ペットボトル（500㎖）…2本
　※1本は空で、1本は8分目まで
　　水を入れる。

◆ はさみ

◆ きり

◆ 食紅もしくは絵の具（緑）

◆ 瞬間接着剤

◆ ビニールテープ

やり方

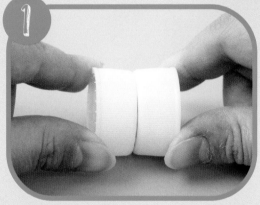

2本のペットボトルのキャップどうしを瞬間接着剤で貼りつける。

❶のキャップのつぎ目にビニールテープを巻く。

キャップの真ん中にきりで穴をあけ、はさみの先で穴が直径8㎜ほどになるまで広げる。

ペットボトルに入った水に、食紅もしくは絵の具で色をつける。

5 ❸のフタをしめる。

6 ❺の上に、空のペットボトルをセットして、しっかりしめる。

7 水が入っているほうを上にして、すばやく10回ほど回すと……。

なぜ？

ペットボトルを回転させて竜巻ができるしくみを観察！

ペットボトルを回転させると、上の水は回転し、渦を巻きながら下に落ちます。そして、下の空気は中心をとおって上に上がります。じつはこれは台風と同じしくみ。台風の大きな渦と、ボトル内の小さな渦。規模はちがうけれど、基本的な原理は同じなのです。

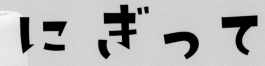

にぎって **エレベーター**

クリップとストローで
つくったおもりをペット
ボトルに入（い）れてぎゅっと
にぎると沈（しず）み、
はなすと浮（う）かび……。
生きているみたいに
動（うご）きだすよ。

あそぼう
ペットボトル

用意するもの

- はさみ
- ホッチキス
- クリップ…6個
- ストロー…3本
- 水が入ったペットボトル（500㎖）…1本

注意

- はさみで手を切らないように注意してください。
- ホッチキスで手をはさまないように注意してください。

やり方

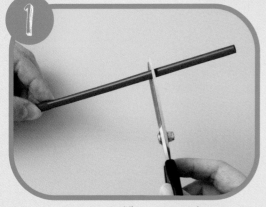

はさみでストローを長さ5.5㎝に切る。

ストローを端から5㎜ほどのところで折り曲げ、ホッチキスで留める。

穴のあいているほうに、クリップを2個つける。

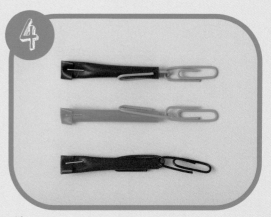

同じものを3個つくる。

5 ペットボトルに水を満タンに入れ、❹を入れる。

6 ペットボトルのフタをして、ぎゅっとにぎってみると……。

うまくいかないときは？

にぎっても沈まないときは、クリップの数を増やすか、ストローの長さを少し切ってみましょう。はじめから沈んでしまう場合は、ペットボトルの水を少し減らすか、ストローを少し長くするのがコツ。タピオカ用など太めのストローを使用する場合は、クリップを2〜3個つけてみてください。

なぜ？ ペットボトルを押すことでストロー内に水が入りこむ

　水の入った容器の中で、中に入っているものが浮いたり、沈んだりするようすを楽しむおもちゃを「浮沈子」といいます。今回は、ストローを折り曲げたものを、ペットボトルに入れてみました。ストローの中には空気が入っています。だから、入れたときは上に浮いていました。ペットボトルを押すと、ストローの中に水が入りこみ、そのぶん重くなるため、下に沈みます。手をはなすとストローの中の水が出るため、浮かびあがったのです。

ストロー以外のものでもできるか、ためしてみましょう！

折り紙でいろんなお花の
つぼみをつくったら、水の上にそっと
浮かべてみよう。しばらくすると、
つぎつぎとお花が咲きだすよ！

水に入れると咲く

ふしぎな

紙の花

用意するもの

◆ 油性ペン
◆ はさみ
◆ 折り紙（緑・ピンク・赤・オレンジ色・黄など）

◆ 水が入った容器

注意

● 汚れてもいい服で実験してください。
● まわりが汚れないように、新聞紙やビニールシートを敷きましょう。
● はさみで手を切らないように注意してください。

やり方

① 折り紙を4分の1の大きさに切る。

② ①のうちの1枚を、色のついた面を内側にしてななめに折る。

③ さらに2回、半分に折る。

この部分は残す

④ 花びらの形を描く。下3分の1は中心として残す。

❹で描いた線にあわせてはさみで切る。

開くとお花になるよ。

全部の花びらを内側に折りこむ。どんな順番で折ってもOK!

平らな面を下にして、水の上にそっと浮かべると……。

なぜ？

植物の繊維が持つ性質で折り紙の花を咲かせた

　紙は植物の繊維からつくられています。植物の繊維は、水を吸収すると太く、短くなるという性質があります。今回は折り紙を花の形にカットし、内側に折った状態で水に浮かべてみました。すると、水に接している外側の繊維が短くなり、外側にひっぱる力がはたらいて、花びらが開いていったのです。

　花が開く速さは、紙の種類や花の大きさで変わります。いろいろな紙で実験してみましょう。ただし、画用紙のように分厚い紙では、ひっぱる力がたりません。また、ティッシュのように薄い紙の場合は、水を吸収して沈んでしまいます。

ポコポコ　はじける

コップの中の
マグマ

泡がポコポコはじけては消えていく……。
赤く染まった色水が、まるでマグマみたい！
コップの中に幻想的な世界が広がるよ。

用意するもの

◆ 重曹…小さじ1　　◆ 食紅もしくは絵の具（赤）

◆ クエン酸…小さじ1　◆ 水

◆ 透明なグラス　　　◆ ベビーオイル
　　　　　　　　　　　（サラダ油やオリーブオイルでもOK）

注意

● 汚れてもいい服で実験してください。

● 重曹やクエン酸、液体などが目や口の中に入らないように注意してください。

● まわりが汚れないように、新聞紙やビニールシートを敷きましょう。

やり方

1

グラスの半分くらいまで水を入れたら、食紅もしくは絵の具を加えて混ぜ、色水をつくる。

2

①にクエン酸を加えて混ぜる。

3

色水と同じくらいの量のベビーオイルを注ぐ。

4

③に重曹を加えると……。

色を変えて イメージチェンジ

食紅の色は好きな色にアレンジしてもOK。
赤だとマグマのように、黄色や緑にすると、
さわやかな感じになります。色水は絵の具でつくっても
よいですが、食紅のほうが透明感がでます。

なぜ？

オイルの下で発生した 二酸化炭素がマグマのよう！

　重曹とクエン酸を混ぜると、化学反応が起きて炭酸ガス（二酸化炭素）が発生します。これは、19ページの実験の原理と同じです。

　今回は赤い色水にクエン酸を加えて混ぜました。そこにオイルを注ぐと、水と油の重さのちがいから、赤い色水が下に、オイルは上にたまります。そこに重曹を加えると、オイルの下の色水に溶けたクエン酸と化学反応が起こり、炭酸ガスがたくさん発生します。気体は軽いので、オイルよりも上にいこうとします。だから、ポコポコとマグマが噴きだすような動きを見せたのです。

　この反応は、重曹とクエン酸の反応がおわるまでつづきます。長いあいだ観察していたいなら、重曹とクエン酸の量を増やすのもおすすめです。ただし、一度に入れる重曹の量を増やしすぎると、化学反応が一気に起きてこぼれてしまいます。ようすを見ながら、少しずつ加えると失敗が少ないでしょう。

第 3 章

手品みたい!?
ふしぎな
実験

科学の力を使った手品のような実験に挑戦！
実験の準備をしたら、みんなの前で見せてみよう。
きっとびっくりしてくれるよ。

水に入れると変わる!?

ふしぎな絵

絵をポリ袋に入れて水につけると、アレレ？
ライオンがシロクマになっちゃった！
まほうみたいにちがう絵に変わってしまうよ。

◆ 画用紙（がようし）
◆ はさみ
◆ 油性ペン（ゆせい）
◆ 水性ペン（すいせい）

◆ チャックつきポリ袋（小）（ぶくろ しょう）
◆ 水が入った深めのボウル（みず はい ふか）

注意（ちゅうい）

● 汚れてもいい服で実験してください。（よご ふく じっけん）

● はさみで手を切らないように注意してください。（て き ちゅうい）

● まわりが濡れないように、新聞紙やビニールシートを敷きましょう。（ぬ しんぶんし し）

やり方（かた）

1 画用紙をはさみでポリ袋に入るサイズに切る。（がようし ぶくろ はい き）

2 画用紙に水性ペンで好きな絵を描く。（がようし すいせい す え か）

3 ❷をポリ袋に入れ、チャックをとじる。（ぶくろ い）

4 黒の油性ペンで、ポリ袋の上から❸のたてがみ以外の輪郭をなぞる。（くろ ゆせい ぶくろ うえ いがい りんかく）

5

水が入ったボウルに❹をつけると……。

いろんな角度で ためしてみよう！

ポリ袋を水に入れる角度によって、絵が消えたり、
消えなかったりします。どの角度だと消えるのか、
いろいろためしてみましょう。
ライオンだけでなく、パンダやうさぎ、
新幹線、車、きょうりゅうなど、
好きなイラストで楽しんでください。

なぜ？

画用紙に描いた絵だけが 光の屈折で見えなくなる

　水に足をつけると、水の中の足が少し曲がって見えますよね。これは、光が空気中と水の中ではちがう速さで進むからです。これを「光の屈折」といいます。光が空気と水とのさかい目をとおるときに屈折し、その影響で水中にあるものがゆがんで見えるのです。

　しかし、ある角度を超えると光は水の中ですべて反射します。すると、ポリ袋に描かれた輪郭だけが残りますが、中に入れた画用紙に描いた絵は見えなくなってしまうのです。

　絵が消えるためには、水に入れるときの角度にコツがあります。水面に対して絵を垂直（まっすぐ）に入れると、しっかり見えなくなりますよ。

ふしぎな水_{みず}

色が混ざる？混ざらない？

プラカップに赤と青の
色水を入れたら、あいだを
仕切っているクリアファイルを
抜いてみよう。しばらく置くと、
色が混ざるものと
混ざらないものが！
このちがいはどこにあるのか、
考えてみよう。

◆ はさみ
◆ お湯（40℃くらい）
◆ 水

◆ 食紅もしくは絵の具（青・赤）
◆ プラカップ…4個
◆ クリアファイル…1枚

注意

● 汚れてもいい服で実験してください。
● まわりが汚れないように、新聞紙やビニールシートを敷きましょう。
● 液体が目や口の中に入らないように注意してください。
● はさみで手を切らないように注意してください。

やり方

①

クリアファイルをプラカップの口より少し大きいサイズに2枚切る。

②

2個のプラカップに水をたっぷり入れ、食紅もしくは絵の具で青い色をつける。

③

2個のプラカップにお湯をたっぷり入れ、食紅もしくは絵の具で赤い色をつける。

④

お湯が入ったプラカップの1つにクリアファイル1枚をのせる。

❹を逆さにし、❷の上にのせる。

もう1枚のクリアファイルは水が入ったプラカップにのせ、逆さにして❸の上にのせる。

それぞれのクリアファイルをそっとひき抜くと……。

なぜ？

色水が混ざらない秘密は
お湯と水の重さのちがいにあった

　水が入ったカップを下にし、お湯を入れたカップを上にのせると、お湯と水は混ざりません。それは、水とお湯では重さがちがうから。水は温度によって密度が変わり、お湯は水よりも密度が低くなります。そのため、同じ体積のお湯と水をくらべると、お湯のほうが軽くなります。

　お風呂で追いだきをすると、上はあったかいのに下は冷たいままということがありますよね。それは、この原理によるものです。境界線が混ざっているのは、おたがいに温度が近くなるから。ほおっておくと、温度が均一になり、全体的に混ざります。

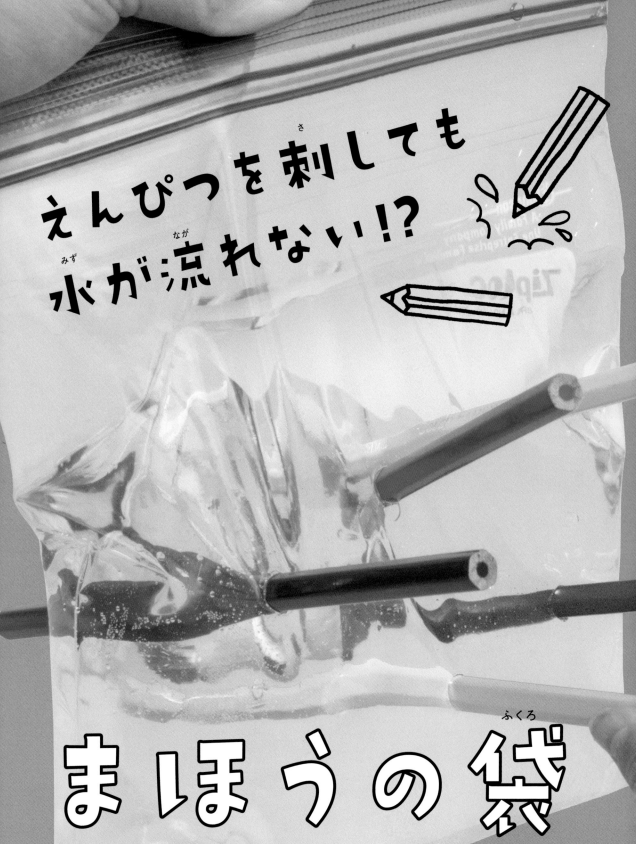

えんぴつを刺しても水が流れない!?

まほうの袋

水の入ったポリ袋にいきおいよくえんぴつを刺してみよう。
たくさん穴があいているのに、水が流れださないからふしぎだね。

◆ 色えんぴつ　　◆ チャックつきポリ袋…1枚
◆ 水

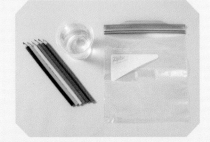

● 汚れてもいい服で実験してください。
● えんぴつが手や体などに刺さらないように注意してください。
● まわりが濡れないように、新聞紙やビニールシートを敷きましょう。

Point 水はできるだけたっぷり入れよう。

やり方

① チャックつきポリ袋に水を入れる。

② 袋に色えんぴつをいきおいよく刺すと……。

やってみよう

つまようじを刺して ハリネズミをつくろう！

色えんぴつのかわりに、つまようじを刺してみましょう。
たくさん刺すとハリネズミみたいになります。
今回はチャックつきポリ袋を使いましたが、
ポリエチレン製の袋ならなんでもOKです。

なぜ？

刺したときに発生した 摩擦熱によって密着！

　ポリエチレン製の袋に水を入れ、いきおいよくえんぴつを刺すと、中の水がこぼれません。これは、ポリエチレンの特性によるものです。

　ポリエチレンは熱せられるとちぢむ性質があります。えんぴつを刺したときに「摩擦熱」が発生し、それによって袋にあいた穴のまわりがちぢみ、えんぴつに密着します。これにより、水がもれないのです。

　ただし、この実験を行うときは安全に注意しましょう。とがったえんぴつの先端でケガをしないように、取り扱いはじゅうぶんに気をつけて。ポリエチレン製の袋が破れる可能性もあるため、お風呂場など濡れてもよい場所で行うのがおすすめです。

　ポイントは、いきおいよく刺すこと。そして、一度刺したらそれ以上グリグリ動かさず、さっと手をはなすことです。さまざまな方向から刺して観察してみましょう。袋の厚みでも変わるため、いろいろな種類の袋でためしてみましょう。

穴があいても
あふれない
カップ

カップの底に穴をあけて、ストローをとおしてみよう。
ストローの高さに水がくるまでは流れでないのに
その高さを超えると、ストローから流れだしたよ。

- ◆ カッター
- ◆ きり
- ◆ 曲がるストロー
- ◆ 水が入ったペットボトル
- ◆ はさみ
- ◆ プラカップ
- ◆ 食紅もしくは絵の具（青）
- ◆ セロハンテープ

注意

● 汚れてもいい服で実験してください。

● カッターやきり、はさみで手を切らないように注意してください。

● 液体が目や口の中に入らないように注意してください。

● まわりが汚れないように、新聞紙やビニールシートを敷きましょう。

● 液体が飛びちりますので、汚れにはじゅうぶん注意してください。

やり方

1 水が入ったペットボトルに食紅もしくは絵の具を入れ、色水をつくる。

2 プラカップの底にきりで穴をあける。

3 ストローの太さにあわせて、カッターで穴を広げる。すき間があると水が漏れてしまうので、なるべくすき間ができないようにする。

4 ストローを曲げ、セロハンテープを巻いて固定する。

ストローの長いほうをカップの穴に差しこむ。

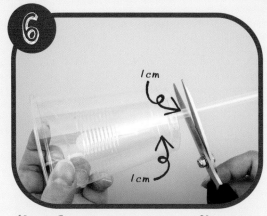

1cm
1cm

底から出たストローは、1cmほど残してはさみで切る。

カップにあふれるほど色水を注ぐと……。

なぜ？

水がおす力によって ストローから流れだす

水面がストローより…

高いと流れる　　低いと流れない

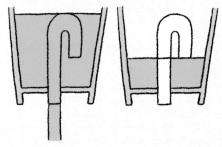

水面がストローより高くなると、ストローの中も水で満たされます。すると、水圧（水がおす力）によって長いほうのストローから水がいきおいよく流れ出します。これを「サイフォンの原理」と呼びます。水洗トイレや灯油ポンプにも、このサイフォンの原理が使われています。

勝手にふくらむ まほうの風船

ペットボトルに風船を
かぶせるだけで風船が
どんどんふくらむよ。
その秘密は重曹と
クエン酸の化学反応に
ありました。

◆ 風船…1個
◆ 重曹…大さじ2
◆ クエン酸…大さじ1
◆ 水…200㎖

◆ ペットボトル（500㎖）…1本
※ペットボトルは安全のため、水用などでは
なく炭酸用のペットボトルを使ってくださ
い。ペットボトルの強度がことなります。

注意

● 汚れてもいい服で実験してください。
● 重曹やクエン酸が目や口の中に入らないように注意してください。
● まわりが汚れないように、新聞紙やビニールシートを敷きましょう。

やり方

1 ペットボトルに水とクエン酸を入れ、よく混ぜる。

2 風船に重曹を入れる。あれば切ったクリアファイルをろうとがわりにすると入れやすい。

3 ペットボトルの口に風船をかぶせる。風船に入れた重曹がペットボトルに入らないよう注意。

4 風船を立てて、中の重曹をペットボトルに入れると……。

炭酸ガスを発生させて風船をふくらませよう

　風船をふくらませるときは、たいていは息を吹きこむか、ポンプで空気を入れますよね。今回は、重曹とクエン酸で発生させた二酸化炭素の力で、風船をふくらませてみました。

　重曹とクエン酸が反応すると、二酸化炭素と水という2つの物質ができます。この反応は中和反応と呼ばれます。酸性の物質と塩基性の物質が反応すると、中性の物質ができます。重曹（炭酸水素ナトリウム）は塩基性で、クエン酸は酸性です。これらが反応することで、二酸化炭素と水ができました。二酸化炭素は気体なので、上に上がって風船の中にたまり、その圧力によって風船がふくらんだのです。

　この反応は家庭用の入浴剤などでも使われています。入浴剤をお風呂に入れるとブクブクと泡ができるのもこの反応によるものです。

　炭酸飲料をつくるときにもこのしくみが利用されています。食用の重曹とクエン酸を水に混ぜ、シロップで甘みをつけると、簡単にラムネ飲料がつくれるんですよ。

ふくらむようすを観察してみよう！

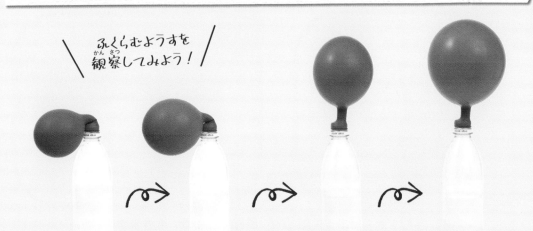

第4章

さわってあそべる
実験と
あそび

ゲームやあそび感覚で楽しめる実験をご紹介！
実際にふれて、感じて、工夫していくことで
いつの間にか科学のおもしろさに夢中になるはずです。

ペット
ボトル
空気砲

くう き ほう

ポンと
飛びだす

ペットボトルと風船で
つくる空気砲。
ねらいをさだめたら、
風船をひっぱってみて。
ポンといきおいよく
空気が飛びだすよ。

用意するもの

- ◆ はさみ
- ◆ カッター
- ◆ 的
- ◆ ビニールテープ
- ◆ 風船…1個
- ◆ ペットボトル（500㎖）…1本

注意 ● はさみやカッターで手を切らないように注意してください。

\上半分だけ使うよ！/

やり方

ペットボトルをカッターやはさみで半分に切る。

風船の口を結ぶ。

風船の上3分の1をはさみで切る。

③をペットボトルにかぶせ、ビニールテープを巻いて留める。

ペットボトルの口を的に向け、風船をひっ
ぱってはなすと……。

やってみよう

的をつくって倒してみよう

色画用紙を横5cm×縦10cmくらいの大きさに切り、
下3cmくらいのところで折り曲げると的がつくれます。
的はお好みのシールを貼ったり、
絵を描いたりしてアレンジしてください。

なぜ？

空気がドーナツ状の渦になり
力強く進んで的を倒す

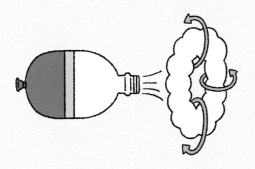

　空気がいきおいよく前に進むと、この
空気に押しのけられた空気がうしろに回り
込み、それによって渦ができます。その
ため、ペットボトルの口から一気にでた空
気は、ドーナツのような形をした渦になり
ます。そしてこの渦の形のまま、前に進
みます。空気の渦は一度できると安定し
てその形を保つため、少し離れたところ
においた的を倒すことができるのです。

いつでも
どこでも
カラオケ

クリアファイルと紙コップと針金で
カラオケマイクがつくれちゃう。
おうちで歌いたいときに使ってみよう。
声が大きくひびいて、とっても楽しいよ。

音を聞いてみよう！

マイク

用意するもの

◆ 紙コップ…2個 ◆ きり

◆ セロハンテープ ◆ クリアファイル…2枚

◆ 針金（やわらかいもの）

　　…2m

◆ 油性ペン（太いもの）

注意 ● きりや針金で手を刺さないように注意してください。

やり方

1

針金を油性ペンに巻きつける。ぐるぐるの形をつくったらペンからはずす。

2

2個の紙コップの底に、きりで穴をあける。

3

紙コップの底に外側から❶の端を差しこみ、先を曲げてセロハンテープで固定する。

4

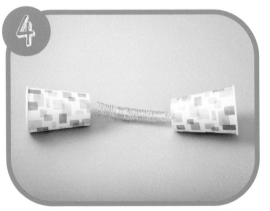

もう片方も同じように、紙コップに針金をとおして固定する。

2枚のクリアファイルの接着部をはさみで切り落とす。

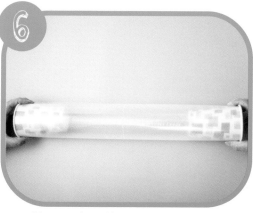

⑤を広げて2枚を重ね、④に巻きつける。

クリアファイルをセロハンテープで固定する。

紙コップの口に向かって声をだすと……。

なぜ？

ぐるぐる巻きにした針金が音を反響させていた！

　音は空気が振動してつたわります。エコーマイクでは、声の振動がバネにつたわって反響することで、エコーがかかったように聞こえるのです。バネにふれると、その振動を感じることができます。バネの巻き数や長さによって、音が変わります。バネにふれるとどうなるか、指で軽くはじいてみるとどんな音がするか、いろいろためしてみましょう。

飛びすぎ注意！ぶっ飛び発射台

牛乳パックを使って、
飛行機の発射台をつくろう！
手で飛ばすよりも、正確に遠くまで
飛んでくれるよ。紙飛行機以外にも、
なにを飛ばせるか考えてみてね。

◆ はさみ
◆ 穴あけパンチ
◆ ホッチキス
◆ 輪ゴム…1本

◆ 折り紙…3枚
◆ 色画用紙…2枚
◆ 紙皿…1枚
◆ 牛乳パック…1個

◆ セロハン
　テープ

注意

● 汚れてもいい服で実験してください。
● まわりが汚れないように、新聞紙やビニールシートを敷きましょう。
● 液体が目や口の中に入らないように注意してください。
● はさみで手を切らないように注意してください。

やり方

1

牛乳パックを開き、底と上部分をはさみで切る。

2

写真のように長方形の部分だけにする。お好みで牛乳パックにテープなどで色画用紙を貼る。(今回は半分ずつ色ちがいを使用)

3

真ん中の折り目の上部分に、ホッチキスで輪ゴムを固定する。

4

牛乳パックの両サイドを半分に谷折りする。

これで発射台の完成!

折り紙で紙飛行機と手裏剣をつくる。

紙皿の端に穴あけパンチで穴をあけ、三角形になるように切る。

発射台の輪ゴムをひっぱって反対側の端にかけ、溝になった部分に紙飛行機をセット。発射台を左右に開くと……。

手裏剣のセット

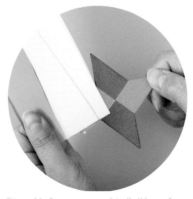

発射台を横向きにして手裏剣を差しこむ。手裏剣の角と発射台の端が、まっすぐになるようにセットする。

紙皿のセット

発射台を横向きにして紙皿を差しこみ、切りこみに輪ゴムをかける。切りこみと紙皿の中心が、まっすぐになるようにセットする。

遠くまで飛ばすには？

　遠くまで飛ばすには、いくつかコツがあります。まず、発射台に使うゴムを強いゴムにすることで、より力強く発射することができます。

　そして、飛距離を最大限に引きだすために重要なのは、発射するときの角度。計算上では、ななめ45度の角度が、飛行機をもっとも遠くまで飛ばすことができる理想的な角度です。なぜなら、この角度では水平方向への力が最大化されるからです。この場合、飛行機が飛ぶときの高さはあまり出ませんが、より遠くへ飛ばすことができます。

なぜ？

輪ゴムの力で紙飛行機を より遠くに飛ばそう！

　紙飛行機を遠くに飛ばせる発射台をつくってみました。この発射台は、輪ゴムをひっぱると、いきおいよく元に戻る性質（弾力性）を利用しています。輪ゴムが戻るときに元に戻ろうとする力を利用して、紙飛行機が飛んでいくのです。

　手で紙飛行機を飛ばそうとすると、いろんなところに力が入ってしまい、一定の角度で力を加えることはできません。でも、発射台を使うと、紙パックが道筋をつくってくれるので、飛行機は一定の角度でまっすぐ飛んでいきます。古代ギリシア・ローマでは、同じような原理を利用して石を飛ばすカタパルトという武器が使われていましたが、今回はその原理を応用してみました。

　飛行機を飛ばすためには、牛乳パックの切り口が大事です。きれいに切らないと、輪ゴムがひっかかってうまく飛ばすことができません。飛ばすものは、なるべく後ろにセットするのもポイントです。とくに手裏剣や紙皿など、コツがいるものは、いろいろためしながら最適な位置や角度を探してみましょう。

おうちで金魚すくい

アルミホイルにホワイトボード用のペンで
小さな金魚を描いてみて。水にそっとつけると、
金魚だけがはがれてぷかぷかと浮かぶよ。
いっぱいつくって、金魚すくいを楽しもう！

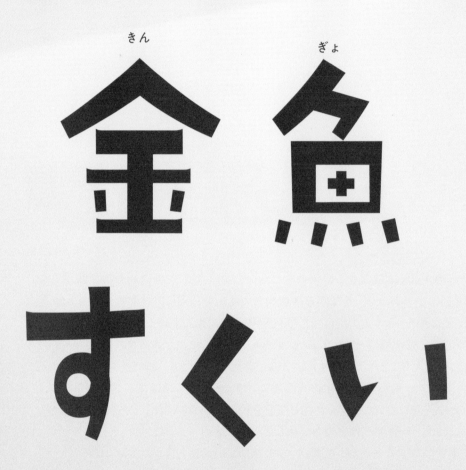

◆ はさみ
◆ ホワイトボード用マーカー（赤・黒）
◆ アルミホイル
◆ 水が入った容器

注意

● 汚れてもいい服で実験してください。
● まわりが汚れないように、新聞紙やビニールシートを敷きましょう。
● はさみで手を切らないように注意してください。
● アルミホイルの箱の刃やアルミホイルの端で手を切らないように注意してください。

やり方

1

アルミホイルをはさみで手のひらくらいのサイズに切る。

2

❶の端のほうに、爪くらいの大きさの魚の絵を描く。中は塗りつぶす。

3

20〜30秒乾かしたら、アルミホイルをななめにして、水の中にゆっくり入れると……。

アルミホイル以外にも、クリアファイルに金魚を描いてもできる。

ポイを使って おまつり気分アップ！

金魚を水に浮かべたら、金魚すくいのポイで
すくってみましょう。おうちでおまつり気分が味わえます。
ポイは100円ショップで購入可能。
ない場合は、スプーンですくっても楽しい！

なぜ？

インクにふくまれる剥離剤で 小さな絵が水に浮かぶ

　ふだん使っているペンには、油性ペンと水性ペンの2種類があります。水性ペンは水に溶ける性質を持っていますが、油性ペンの一種であるホワイトボードマーカーは、水に溶けにくい性質を持っています。さらに、ホワイトボードマーカーには剥離剤というインクをはがれやすくする成分がふくまれています。この剥離剤の効果で、油性インクが水に浮かびあがりました。

　ホワイトボードマーカーをつくっているメーカーはいろいろありますが、この実験にはパイロット社製がおすすめ。絵は小さめに描き、しっかり塗りつぶすことが成功させるためのポイント。絵を描きおえたら時間をおかずにゆっくりと水に入れ、絵の端がはがれはじめたら一気に水につけてください。絵がペロンとはがれます。絵は爪くらいの大きさだと成功しやすく、大きすぎると途中で折れ曲がってしまいます。どこまで大きくできるのか、ためしてみるのもおもしろいかもしれません。

紙コップに向かってコソコソ話……。
風船をつたって、声が聞こえてくるよ。
糸電話と原理は同じだけど、
糸電話のようにピンとはらなくても
声が聞こえるのがポイント。

コソコソ声で
話そう

風船電話

◆ 長い風船…1個　　　◆ シールなど

◆ カッターもしくははさみ

◆ 空気入れ

◆ 紙コップ…2個

注意 ● カッターで手を切らないように注意してください。

やり方

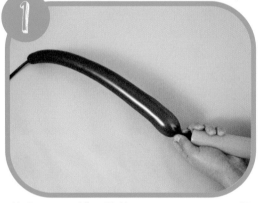

空気入れで長い風船をふくらませたら、端をしっかりと結ぶ。

シールやマスキングテープなどで、紙コップに飾りをつける。

紙コップの底に、カッターで十字に切りこみを入れる。

紙コップの切りこみに、長い風船の両端を差しこむ。

5

1人が紙コップを耳にあて、もう1人が反対側から小さい声で話すと……。

なぜ？

長い風船をつたって コソコソ話が相手に届く

音は空気の振動によってつたわります。昔ながらの糸電話は、糸をつたって声をつたえるというあそび。口からだした声は、空気を振動させて糸につたわり、糸が振動して相手側に届きます。

今回は、糸のかわりに長い風船を使いました。この風船電話では、風船の中の空気が振動し、その振動が風船の表面をつたって相手に届きます。そのため、小さな音でも聞きとりやすいのです。また、糸電話はピンとはらないと声をつたえることはできませんが、風船ははじめから空気でパンパンに張っているので、子どもでもかんたんに使うことができます。

ポンと飛びだす 紙コップロケット

紙コップに輪ゴムを
ひっかけたら、発射台にセット。
いきおいよくポーンと
飛んでいくよ。
発射台も紙コップだから、
かんたんにつくれちゃう。

- ◆ はさみ
- ◆ スティックのり
- ◆ 紙コップ…2個
- ◆ セロハンテープ
- ◆ 輪ゴム…2本
- ◆ ビニールテープ
- ◆ 色画用紙、シールなど

注意 ● はさみで手を切らないように注意してください。

やり方

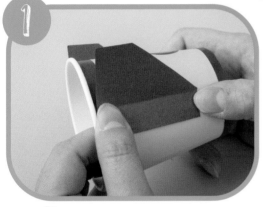

1つの紙コップにシールやビニールテープ、色画用紙などを貼り、ロケットのように飾りつける。デザインはお好みでOK!

①のふちに十字に4か所、はさみで切りこみを入れる。

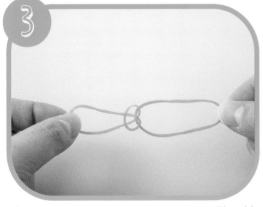

輪ゴムをクロスさせてひっぱり、2本を結ぶ。

②の切りこみに③をひっかける。

5

もう1つの紙コップの上に、④を重ねて押し
こみ、手をはなすと……。

なぜ？ 輪ゴムの力で紙コップがポンと飛び上がる！

　紙コップにかけた輪ゴムが元に戻ろうとする力を利用して、紙コップを飛ばすしくみです。輪ゴムが戻ろうとする力、つまり弾性力を発射台として活用することで、紙コップをロケットのように飛ばしました。

　発射台を押しこむ力が大きいほど、コップを飛ばす力が強くなります。発射の角度や力のかげんによって高さや方向が変わり、どこに飛ぶかわからないおもしろさがあります。紙コップを大きくすると輪ゴムがより伸び、飛ぶときのいきおいがさらに強くなります。

　今回はロケットのデザインにしましたが、なんでもOK。たとえば「飛ぶ」ということから連想して、うさぎやかえるなどにしてもかわいいですね。お友だちや家族とだれがいちばん高くコップを飛ばせるか、競争しても楽しいでしょう。

おうちで！

手づくり

スーパー

ボール

PVAと書かれている洗濯のりと塩があれば
かんたんにオリジナルのスーパーボールができちゃうよ！
形がいびつだから、どこに飛ぶかわからないのもおもしろいね。

◆ 洗濯のり（PVAと書かれて
いるもの）…10g

◆ 水…100㎖

◆ プラカップ…1個

◆ ペットボトル（500㎖）

◆ ペーパータオル

◆ わりばし…1膳

◆ 食紅もしくは絵の具（緑）

◆ 食塩…40g

注意

● 汚れてもいい服で実験してください。

● 液体が目や口の中に入らないように注意してください。

● まわりが汚れないように、新聞紙やビニールシートを敷きましょう。

● 実験がおわったあとは、お住まいの自治体のルールにしたがって処分してください。

やり方

1 プラカップに洗濯のりを1cmほど入れ、食紅もしくは絵の具を加え、わりばしで混ぜる。

2 ペットボトルに水と食塩を入れ、よく振り混ぜる。

3 ❶に❷を5cmほど加える。

4 すぐにわりばしでゆっくりとかき混ぜる。のりの塊ができてくるよ。

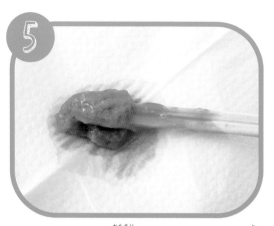

わりばしについた塊をペーパータオルに取りだす。

ペーパータオルで水気をふきながら、取りだした塊を丸めると……。

うまくつくるには？

途中でひびが入ってしまったときは、表面を水で湿らせて形をととのえましょう。そのあとプラカップに残った色水につけて表面をかためるときれいにしあがります。少しくらい形がゆがんでしまっても、市販のものとはちがうおもしろい飛び方をするから大丈夫！ また、つくったスーパーボールを保存するときは、乾燥しないようにチャックつきポリ袋に入れておくと長持ちします。

なぜ？

塩の力で洗濯のりからスーパーボールをつくりだす！

洗濯のりには PVA（ポリビニルアルコール）がふくまれています。PVA 水溶液とは、水に溶けやすい性質を持つプラスチックの一種。スーパーボールをつくるには、食塩を加えることで PVA から水分を奪い、プラスチック成分だけを取りだす「塩析」という現象を利用します。

コップから取りだしたあとは、ペーパータオルで水分をふき取りながら、30 分から 1 時間ほど手のひらでコロコロすると、きれいな丸い形になります。ただし、つくっている途中でテーブルなどに置きっぱなしにしてしまうと底がつぶれて、形がくずれてしまいます。

市販のスーパーボールよりもいびつかもしれませんが、どこに飛ぶかわからないおもしろさが魅力です。いろいろな大きさや形でつくって、飛びはね方をくらべてみても楽しいかもしれませんね。

くるくる回る声コプター

紙コップに口をあてて、声をだしてみよう。
プロペラがくるくると回るよ。高い声と低い声、
どちらのほうがよく回るのかためしてみてね。

◆ 紙コップ…1個
◆ セロハンテープ
◆ 折り紙
◆ つまようじ…1本

◆ きり
◆ はさみ

注意 ● きりやつまようじで手を刺さないように注意してください。

やり方

紙コップの底のふちに、きりで穴をあける。

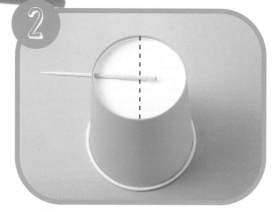

❶の穴につまようじをとおし、セロハンテープで頭を底に固定する。このとき、つまようじの頭が円の真ん中よりも少し右側にくるようにする。

折り紙をはさみで1×4cmに切る。

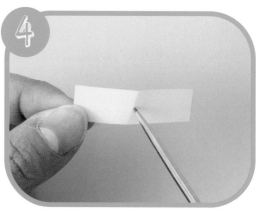

❸の真ん中に、きりでつまようじの先がとおるぐらいの大きさの穴をあける。

Point
折り紙がつまようじ
につかないように、
ふんわり刺す。

❹をつまようじにとおし、先をセロハンテープで留める。セロハンテープは折り紙につかないように注意。

コップの口から高めの声をだすと……。

なぜ？

自分の声の力だけで　プロペラを回そう！

「声コプター」は、声をだしたことによる振動で小さなプロペラを回すおもちゃ。音は空気を振動させて鼓膜につたわりますが、紙コップの中で声をだすと、声の振動が紙コップからつまようじにつたわります。そして、つまようじが振動することでプロペラが回るのです。

ポイントは、高くて大きな声をだすこと。高い声のほうが、空気が振動する回数が多く、大きい声のほうが振動する振れ幅が大きいためです。プロペラがつまようじにしっかり刺さっているとうまく回らないことがあるので、ふんわりと刺すようにしましょう。

声の高さや大きさを変えると、回転速度や方向のちがいを楽しむことができます。また、プロペラの大きさを変えてみるのもおもしろいかもしれません。

第5章

だい　しょう

1〜2歳から楽しめる
さい　　　　たの

実験と
じっ　けん

あそび

ゲームやあそび感覚で楽しめる実験をご紹介！
かん　かく　　　たの　　　　じっ　けん　　　しょう　かい
実際にふれて、感じて、工夫していくことで
じっ　さい　　　　　かん　　　　く　ふう
いつの間にか科学のおもしろさに夢中になるはずです。
ま　　　　か　がく　　　　　　　　　　　む　ちゅう

金魚が
水槽の中に
入る！

ふしぎ

2枚の絵が1枚に見える
トリックアートに挑戦！
金魚が水槽の中に入っているように
見えるかな？　楽しくてつい何度も
見たくなっちゃうね。

◆ 輪ゴム…2本
◆ スティックのり
◆ はさみ
◆ 水性ペンなど
◆ きり
◆ 厚紙…1枚

 注意 ● はさみやきりで手を切らないように注意してください。

やり方

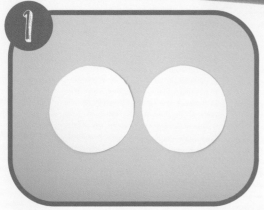

厚紙をはさみで直径10cmくらいの円に2枚切る。

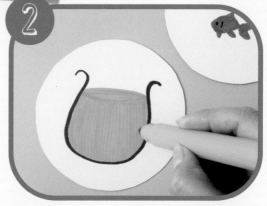

①に水性ペンなどで絵を描く。（今回は1枚には水槽、もう1枚には金魚を描いています）

②の裏にのりを塗り、絵の上下が逆になるように貼りあわせる。

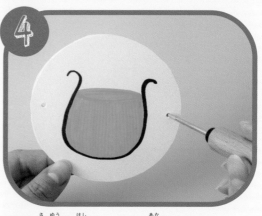

③の左右の端に、きりで穴をあける。

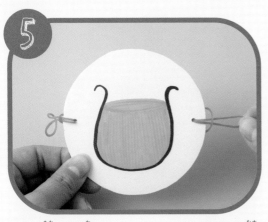

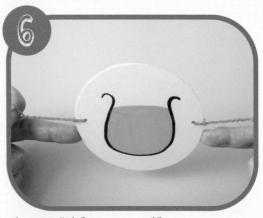

④の穴に、輪ゴムをそれぞれとおして結ぶ。

輪ゴムを両手のひとさし指にとおしてくるくると巻き、手をはなすと……。

なぜ？

2つの絵が1つになる！アニメーションの原点

　2枚の絵が1枚に見える現象は、目の錯覚によるものです。いきおいよく回転させることで、目に映る2枚の絵の残像が脳内で重なりあい、それが1枚の絵に見えるのです。これは、脳が情報を処理する速度によって生みだされる、錯覚現象の一種です。

　このような錯覚現象を利用したおもちゃは、ソーマトロープと呼ばれます。ソーマトロープは、19世紀に発明されたおもちゃで、少しずつちがう絵を描いて、それを回転させることで動いて見える効果を楽しむもの。これは、のちのアニメーションや映画の原点となりました。

　この実験は、パラパラまんがやセル画のアニメーションにも応用されています。少しずつちがう絵を描き、それを高速で映すことで、動く映像が生まれるのです。

材料3つでできる かんたん スライム

小さな子も
安心してあそべる
片栗粉と水でつくるスライム。
ぎゅっとにぎるとかたまるけど、
力をゆるめるとトロッと流れる
ふしぎな感触がやみつきになりそう。

- 水…50mℓくらい
- 食紅（青）
- 片栗粉…100g
- ボウル

- 汚れてもいい服で実験してください。
- 材料や完成品が目や口の中に入らないように注意してください。
- まわりが汚れないように、新聞紙やビニールシートを敷きましょう。
- 実験がおわったあとは、お住まいの自治体のルールにしたがって処分してください。

やり方

ボウルに片栗粉を入れ、食紅を加える。

水を少しずつ加えながら、混ぜる。

ようすを見て、混ぜながら少しずつ水を加えていく。

にぎると少しかたまるくらいになったら水を加えるのをやめる。ぎゅっとにぎったりはなしたりしてみると……。

水が多いと……

ただのドロドロになってしまい、
にぎってもかたまらない。

水が少ないと……

ボソボソの感触のまま、
全体がまとまらない。

やってみよう

色を変えたり、
いろんなあそび方をしてみよう！

食紅を何色か混ぜてカラフルなスライムをつくってみましょう。
また、スライムが入っているボウルにフィギュアやミニカーを入れて、
ごっこあそびをしても楽しいです。直接さわるのが苦手な子は
スプーンですくったり、ポリ袋の上からさわってもOK！

なぜ？

水と片栗粉だけでつくる
ふしぎな感触のスライム

通常時

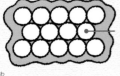

片栗粉の
でんぷんの
粒

力を加えると…

片栗粉は水に溶けない粒子をふくむため、水と混ぜると「ダイラタンシー」という特別な性質が生まれます。片栗粉に水を混ぜると、粒子どうしが結びついてねばりを生み出します。この粘性のため、ダイラタンシーは液体と固体の性質を同時に持つことができます。粘土や泥とはちがい、ダイラタンシーは力を加えると固体のようにかたくなりますが、やさしくふれると液体のようにやわらかくなります。

ポンポンはずむ風船ボール

ビニールテープをぐるっと巻きつけるだけで
ただの風船がゴムボールのようにはずむよ！ ボールあそびが
したくなったときは、この実験を思いだしてみてね。

用意するもの

◆ 風船
◆ ビニールテープ

やり方

1 風船を大きくふくらませる。

2 風船の結び目をとおるように、縦とななめにぐるりとビニールテープを巻く。

3 横にもぐるりとビニールテープを巻く。

4 風船を持って、下に落とすと……。

ふつうの風船とはずみ方を くらべてみよう

ビニールテープを巻いた風船と巻いていない風船では、
はずみ方がどう変わるのか調べてみましょう。
ほかにも、床までの落下速度や投げやすさなどのちがいを
くらべてみてもおもしろそうです。

なぜ？

ビニールテープで重さと 弾性力をアップさせる

　風船にビニールテープを巻くと、ふつうのボールのようにはずむのはなぜでしょうか？　それは、ビニールテープが重みをつけるのと同時に、表面のゴムと中の空気が元に戻ろうとする力（弾性力）が強くなるため。ビニールテープを巻くことでゴムがぎゅっとかたまり、はずむ力がアップするのです。

　今回は縦3回、横1回の計4回ビニールテープを巻きつけました。巻く回数を変えると、風船ボールのはずみ方も変わります。全面にぐるぐる巻くと、かぎりなくボールに近づきます。

　この実験は、材料もつくり方もシンプル。投げたり、蹴ったり、小さいお子さんがハイハイで追いかけたりするのにも最適です。夏に海であそぶときに、ビニールボールがなくても風船とビニールテープがあれば大丈夫。あそんだあとは小さくなるので、持ちはこびにも便利です。

シャワー

穴をあけたペットボトルに水を入れて
キャップをしめると水は出ない。
でも、キャップをゆるめると、
水がピューッと出るのがふしぎだね！

ペットボトルでつくれる

オリジナル

用意するもの

- はさみ
- 油性ペンなど
- きり

- ビニールテープ（青・赤・白）
- ペットボトル（350㎖）…2本

注意

- はさみやきりで手を切らないように注意してください。
- まわりが汚れないように、新聞紙やビニールシートを敷きましょう。
- 水が飛びちりますので、お風呂やお庭など濡れてもいい場所で実験してください。

やり方

1

ペットボトルにビニールテープや油性ペンなどで飾りをつける。（今回はタコとゾウをイメージ）

2

❶にきりで穴をあける。ゾウは鼻の部分に1か所あける。

3

タコは足をイメージして、下のほうにぐるっと8か所あける。

4

❷と❸に水（材料外）を入れ、ペットボトルのキャップをしめる。

5

ペットボトルのキャップをゆるめると……。

やってみよう

ペットボトルの飾りや 穴の数はお好みで

タコは赤、ゾウは青いビニールテープをすき間なく貼り、白いテープで
目をつくりました。ゾウの耳もビニールテープでつくって貼りつけています。
ほかにも、油性ペンでイラストを描くなど、飾りはお好みでOK。
穴の数もいろいろためしてみましょう。

なぜ？

表面張力と空気の圧力を
同時に感じられる実験

　ペットボトルに穴があいているのに、フタをしめていると水が出ないなんてふしぎ
ですよね。これには、表面張力と空気の圧力がかかわっています。
　キャップをしめると、小さな穴から出ようとする水の流れを、表面張力が阻止し
ます。表面張力とは、水の表面をおおっている分子どうしが引きあう力のことで、
この力によって水がこぼれるのをふせいでいます。水をコップにたっぷり注ぐと、
水面がコップのふちよりも少し高くなるのに、水はこぼれないという経験はありませ
んか？　これは表面張力が水の表面をふちに引き寄せる力を持っているからです。
　キャップをゆるめるとペットボトルの口から空気が入りこみます。このとき空気の
圧力（大気圧）が水を押しだし、シャワーができるのです。

お部屋え咲

花をさかせよう！

コーヒーフィルターに水性ペンで
点や線を描いて水につけると……。
インクがきれいなお花みたいに
広がるよ！

◆ ペットボトルのキャップ
　…4個
◆ 水
◆ 水性ペン

◆ コーヒーフィルター
　（漂白タイプ）…2枚
◆ はさみ

注意

● はさみで手を切らないように注意してください。
● 汚れてもいい服で実験してください。
● まわりが汚れないように、新聞紙やビニールシートを敷きましょう。

やり方

1

コーヒーフィルターをはさみで丸く切る。

2

フィルターを半分に折り、また半分に折る。

3

さらに半分に折って、折り目をしっかりつけたら広げる。

4

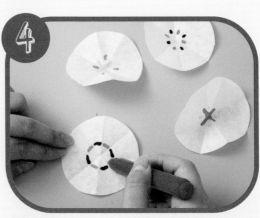

円の中心ちかくに、水性ペンで点や線を描く。

5

ペットボトルキャップに水を入れ、❹をのせると……。

やってみよう

メーカーでインクの色に ちがいがあるか見てみよう!

同じオレンジ色でも、メーカーがちがうと使われているインクの色に
ちがいが出ます。いろいろなメーカーのペンでためしてみましょう。
また、同じメーカーのペンでも、色によってわかれ方が変わるのか、
観察してみてください。

なぜ？

毛細管現象を使って 水性ペンの色素をわける

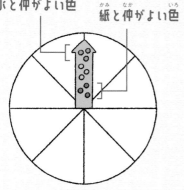

水と仲がよい色　　紙と仲がよい色

ペーパークロマトグラフィーは、化学や生物学の
実験でよく使われる手法です。今回つくったお花は、
この方法を使って水性インクの色素を分離してみ
た結果です。コーヒーフィルターは、紙の毛細管
現象（39ページで解説）によって水といっしょにペン
のインクを広げます。インクにふくまれる色素は、
色によって水との仲のよさ（親水性）がちがいます。
水と仲のよい色素ほど水と一緒に遠くに移動し、紙
と仲のよい色素は真ん中に残るのです。

5分で完成！手づくりアイス

アイスの材料と氷を袋に入れて、タオルで包んだら
ひたすら転がしつづけよう。
持ったまま踊ったり、タオルごとキックしてもOK！
5分後には、おいしいアイスのできあがり♪

◆ 氷
◆ ハチミツ…適量
◆ 牛乳…50㎖
◆ 塩…100g
◆ バナナ…1本

◆ 輪ゴム…2本
◆ チャックつきポリ袋（大・小）
　…各1枚
◆ タオル…1枚

注意

● まわりが汚れないように、新聞紙やビニールシートを敷きましょう。
● 1歳未満のお子さまにはハチミツをあたえないでください。
● アレルギーのある方は、この実験をしないでください。
● 塩をかけた氷はとても冷たくなるので、直接さわらないでください。
● 手に氷がくっついてしまったときは、ぬるま湯につけてはずしてください。

やり方

小さいチャックつきポリ袋にバナナを入れ、上から手でつぶす。

牛乳とハチミツを加え、空気をしっかり抜いてチャックをしめる。

大きなチャックつきポリ袋に氷と塩を入れる。

氷と塩が全体に混ざるように軽く振る。

❹の中に❷を入れ、チャックをしめる。

❺にタオルを巻き、両端を輪ゴムでとめる。

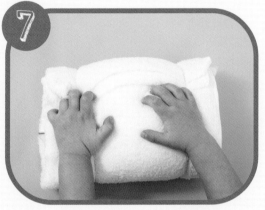

5分ほどひたすら転がすと……。

バナナのかわりにいちごを使うと、いちごアイスに。オレンジジュースだけでつくるとオレンジシャーベットに。いろいろな材料でつくって食べくらべしてみましょう！

なぜ？

塩が氷の温度を下げて材料をすばやく冷やす

氷に塩をかけると、どうしてアイスをつくることができるのでしょうか。それは、氷に塩を加えると、氷の凝固点（液体が個体になりはじめる温度）が下がるためです。つまり、0℃よりも低い温度で凍ることができるのです。この現象を「凝固点降下」と呼びます。

牛乳とバナナを混ぜたものを冷凍庫に入れると、凍るまでひじょうに時間がかかります。しかし、氷に塩を加えた袋の中にこの材料を入れておくと、5分ほどで凍ってしまいます。一般的な家庭用冷凍庫の温度はマイナス18℃くらいですが、氷に塩を加えたものの温度はマイナス21.2℃くらい。さらに、材料と氷が接触しているため、より早く冷やされるのです。

おうちの方へ

この本を手に取ってくださったみなさま、このたびはありがとうございます。

実験はうまくいきましたか?

私はもともと、高校で化学の教師をしていましたが、子どもが生まれ、子育てをする中で、
雨の日にできるあそびが少ないということに気づきました。

そして、家の中で完結できる楽しいあそびはないかと考えたことから
「おうち実験」はスタートしました。

せっかくなら自分の息子に科学のおもしろさを知ってほしい。
でも、息子は当時はまだ2歳。科学なんてわかるのだろうか。
そういった不安はあったものの、実際にやってみると
じゅうぶん楽しくあそべるということがわかってきました。

この本では、「小さな子どもでも楽しめる実験」を30種類ご紹介していますが、
実際に私が子どもといっしょにあそぶときも、Instagramに投稿する写真や動画を
撮るときも、なかなか思いどおりにできなかったものが、いくつかあります。

失敗した原因はどこにあったのだろう。
どうやったら、成功することができるのだろう。
いろいろな仮説を立てて、今日まで何度もトライ&エラーをくり返してきました。

そして、そうやって成功した実験を厳選したはずなのに、この本を撮影するときには、
思ったよりも飛ばなかったり、噴きだすいきおいがたりなかったりと、
理想どおりにいかないこともありました。
そんなときは、まわりのスタッフさんたちと相談しながら、
うまくいく方法を模索していきました。

お子さんと実験するときも、失敗の原因はなんだったのか
いっしょに相談して、お子さんが考える力をサポートしていただけたらなと思います。

子どもといっしょに実験をすることで、私のほうが学んだこともいっぱいあります。
いまは実験の原理を完全に理解できなくても大丈夫。
どんな現象が起こるのか、見ることだけでじゅうぶんです。

いつか原理を理解できるときがやってきたときに、
いっしょに行った実験が、お子さまの心の中に少しでも残っていたら素敵ですよね。
私もそんな日がくることを楽しみにしています。

参考文献

- 『おうちで楽しむ科学実験図鑑』
  尾嶋好美 著（SBクリエイティブ）

- 『かがくあそび』
  髙柳雄一 監修、山村 紳一郎 指導（フレーベル館）

- 『おうちサイエンス-自宅が研究室になる! 今日から君は研究者!』
  五十嵐美樹 著（ワニブックス）

- 『でんじろう先生のわくわく科学実験』
  米村でんじろう 監修（日東書院本社）

- 『おうちでSTEAM教育
  「なぜ?」「どうして?」がよくわかる わくわく科学実験図鑑』
  クリスタル・チャタトン 著、岩田佳代子 訳（ディスカヴァー・トゥエンティワン）

この本の実験をとおして
科学が好きになったら、
自分でもいろいろ調べて
やってみてね!

STAFF

・・・・・・・・・・・・・・・・・・・・・・・・・・

装丁	坂川朱音（朱猫堂）
本文デザイン	坂川朱音＋小木曽杏子（朱猫堂）
写真	島村緑
本文イラスト	角裕美
編集協力	二平絵美
校正	東京出版サービスセンター
編集	長島恵理＋金城琉南（ワニブックス）

・・・・・・・・・・・・・・・・・・・・・・・・・・

3歳から親子でできる！
おうち実験＆あそび

著 者　いわママ

2024年7月29日　初版発行
2024年9月10日　3版発行

発行者　高橋明男

発行所　株式会社ワニブックス
　　　　〒150-8482
　　　　東京都渋谷区恵比寿4-4-9 えびす大黒ビル
　　　　ワニブックスHP　https://www.wani.co.jp/
　　　　お問い合わせはメールで受け付けております。
　　　　HPより「お問い合わせ」へお進みください。
　　　　※内容によりましてはお答えできない場合がございます。

印刷所　TOPPANクロレ株式会社
DTP　株式会社明昌堂
製本所　ナショナル製本